l'Heure du thé

Texte de Lucy Knox et Sarah Lowman
Adaptation française de Anne-Marie Thuot

Gründ

Sommaire

NOTE
Dans les recettes, les quantités sont exprimées
en grammes, centilitres et cuillères rases.
1 cuillère à soupe = 1,5 cl
1 cuillère à café = 0,5 cl
Sauf indication contraire, utilisez des œufs de 60 g
environ.
Le four doit être préchauffé à la température indiquée.
Si votre four est à chaleur tournante, réduisez la
température et les temps de cuisson selon les
indications du fabricant.

Introduction

Difficile de trouver passion ayant à ce point résisté à l'épreuve du temps que celle de nos voisins britanniques à l'égard du thé. D'ailleurs, ne parle-t-on pas de boisson nationale ? Reconnaissons que cette passion dépasse largement le cadre de leurs frontières puisque les amateurs de thé sont légion parmi nous. Le thé est présent au petit déjeuner, il peut accompagner un déjeuner léger en hiver, il est rafraîchissant en été et il est irremplaçable... à l'heure du thé, marié à quelques douceurs.

Histoire

Le thé est originaire de Chine ancienne. Les Chinois se plaisent à raconter l'histoire d'un souverain, Chen Nung, qui, voici près de cinq mille ans, en 2737 av. J.C., s'était assis avec un bol d'eau chaude sous un arbre. Une feuille de cet arbre tomba dans le liquide : l'infusion ainsi créée lui plut tellement qu'il mit régulièrement des feuilles de thé – l'arbre était un théier – dans de l'eau chaude, afin de se préparer une boisson désaltérante. Ainsi naquit une tradition. Les plantations de thé devaient se développer en Extrême-Orient.

L'Europe découvre le thé au XVIIe siècle. Dès 1635, Samuel Pepys note dans son journal que les cercles élégants de Londres, d'Amsterdam et de Paris apprécient cette boisson. On sait qu'il est très prisé de Mme de Sévigné. La Compagnie hollandaise des Indes orientales commence à en importer de Chine, alors seul producteur mondial, qui, devenant incapable de satisfaire la demande sans cesse croissante, expédiera en Europe des feuilles de qualité médiocre. Au XVIIIe siècle, les Anglais réussiront à sortir clandestinement de Chine des plants d'arbre à thé, afin de briser le monopole de ce pays, pour les replanter aux Indes, à Ceylan et en Afrique orientale.

Par navires entiers, les colons rallient les Indes, attirés par la promesse de gains vite réalisés, et défrichent les jungles de l'Assam pour y installer leurs plantations. En 1860, James Taylor implante une usine à thé à Ceylan, devenu Sri Lanka depuis. Au début du XIXe siècle, le thé de Ceylan est aussi renommé que le thé de Chine. Ce que l'on appelle *jardin de thé,* est, en vérité, une plantation, quelle qu'en soit la taille – la plupart couvre des milliers d'hectares. Parfois, un *jardin* désigne un « cru ». Quelle que soit la variété de thé cultivée, la plante a besoin de

du thé

beaucoup de pluie, de l'air frais des montagnes et d'un sol humide et chaud.

Les thés noirs, variété préférée des Européens, proviennent de Ceylan, d'Inde et de Chine. Les feuilles fraîchement récoltées subissent d'abord un flétrissage, au cours duquel elles perdent leur humidité. On les étale ensuite sur des claies ou des toiles, que l'on superpose pour favoriser la circulation de l'air chaud. Cette opération dure 24 heures. On roule ensuite les feuilles afin d'en libérer les huiles essentielles. On procède alors à la fermentation, qui confère au thé sa couleur noire caractéristique. Les feuilles, réparties en couches minces, sont exposées à un souffle d'air chaud et humide. Vient la dessiccation destinée à stopper la fermentation, puis le tri selon les grades de qualité.

À l'origine, le thé provenait essentiellement des plantations de l'ancien Empire britannique. Aujourd'hui, on en importe d'autres régions du monde – yunnan de Chine, lapsang souchong de Formose et thé vert du Japon, pour ne citer que ces exemples.

Les thés

Les amateurs de thé conseillent un thé corsé au petit déjeuner, un thé désaltérant l'après-midi et un thé délicatement parfumé pour la soirée. Les thés sont classés par catégorie, selon la taille des feuilles et le degré de fermentation appliqué. L'âge et son mode de séchage lui confèrent sa saveur ; son caractère varie suivant sa zone de culture.

La **CHINE** produit des thés noirs légers, parfaits pour l'après-midi et le soir. On les déguste sans lait ni sucre, à l'exception du yunnan. La Chine cultive aussi d'excellents thés verts, à boire également sans lait ni sucre.

Lapsang souchong : délicieux thé au goût fumé, obtenu par flétrissage des feuilles au-dessus d'un feu préparé avec du bois de pin. À déguster avec des mets salés et sucrés.

Keemun : arôme fin de noisette, très rafraî-chissant pour la soirée.

Yunnan : thé non fumé, l'une des plus nobles variétés de Chine, d'une grande finesse gustative et aromatique.

Dong yang dong bai : considéré comme l'un des thés verts les plus fins au monde, il a un délicat arôme fleuri.

Lung ching : cette infusion vert jade est parfaite tard dans la soirée.

Le **JAPON** ne produit que des thés verts, à boire sans lait ni sucre. On les dit excellents pour la digestion. On les sert souvent après le déjeu-ner ou le dîner.

Gyokuro : thé vert très onéreux et très raffiné, au goût léger et doux.

Hojicha : thé vert torréfié, don-nant une boisson brune. Idéal au déjeuner ou au dîner.

et leurs mélanges

FORMOSE produit une gamme de thés verts et noirs de qualité, mais l'île est surtout réputée pour ses thés semi-fermentés, à boire nature.

Tarry souchong : thé noir très fumé, produit de la même façon que les thés de Chine fumés. Excellent avec les mets riches.

Grand pouchong : excellente variété de thé semi-fermenté. Sa couleur mordorée et son arôme délicat conviennent à tout moment de la journée. Un thé de même nature, le **tung ting** donne une liqueur de teinte orangée à la saveur très douce.

Le **CEYLAN** (actuel Sri Lanka) produit un thé noir connu pour son arôme astringent et sa couleur ambrée.

Orange pekoe : thé d'après-midi rafraîchissant, à l'arôme doux et fruité.

Flowery pekoe : thé aromatique corsé, idéal au petit déjeuner et à l'heure du thé.

Broken orange pekoe fannings : ce thé corsé, parfait avec du lait, peut remplacer le café après un repas.

L'INDE produit essentiellement des thés noirs corsés, de couleur soutenue, à l'arôme puissant. Toutefois, quelques thés noirs ont une saveur très fine et subtile.

Assam : le classique du matin, au goût fort et malté. Idéal avec du lait et du sucre.

Darjeeling : un très grand cru, dont la saveur varie selon la saison de récolte. Se consomme généralement nature, dans l'après-midi.

LES MÉLANGES CLASSIQUES

English breakfast tea (mélange anglais du matin) : composé de broken orange pekoe avec une pointe d'assam et de darjeeling, ce thé corsé est délicieux le matin.

English afternoon tea (mélange anglais de l'après-midi) : composé de thés de Ceylan, il donne une infusion fine et légère.

LES THÉS PARFUMÉS

Parmi eux, on compte l'earl grey (thé de Chine parfumé à la bergamote), le thé au jasmin, l'imperial russian (thé de Chine parfumé au citron et à la bergamote), et le thé à la rose.

L'art de préparer le thé

Pour obtenir une boisson parfumée et désaltérante, il convient de conserver le thé dans de bonnes conditions, et de le préparer avec soin. Achetez toujours de petites quantités de thé en feuilles, et conservez-le dans une boîte hermétique, à l'abri de l'humidité, de la chaleur et de la lumière. Ne gardez pas les thés noirs plus d'un an ; les verts et les semi-fermentés se conservent 8 mois environ.

Pour que votre thé soit excellent, utilisez une eau pure et fraîche, et ne faites pas réchauffer l'eau restant dans la bouilloire. Ne lavez pas la théière, mais rincez-la et laissez-la sécher naturellement. Le dépôt de tanin qui la culotte ren-

force, dit-on, la saveur du thé. Si vous buvez plusieurs thés de diverses origines par jour, il vous faudrait logiquement une théière par variété. Ébouillantez toujours la théière et dosez soigneusement le thé : une cuillère à thé pleine par personne pour les thés noirs, une cuillère à thé bombée pour le thé vert. Versez l'eau dans la théière dès qu'elle commence à bouillir, puis laissez infuser de 2 à 5 minutes. Lisez les instructions portées sur l'emballage – thés noirs et verts ont des temps d'infusion différents. Retirez les feuilles dès l'infusion terminée : tous les thés y gagnent en saveur. C'est pourquoi les infuseurs à thé (boules, cuillères à thé...) sont pratiques, les feuilles laissées dans la théière donnant de l'amertume à la boisson.

Boire un thé avec du lait, du sucre ou du citron est affaire de goût. Si nombre de puristes acceptent le nuage de lait dans les thés noirs mais jamais dans les thés verts, peu s'accorde à tolérer la rondelle de citron. Ils conseillent plutôt celle d'orange. On peut utiliser du sucre blanc avec le thé noir.

Rites

Dès le Ve millénaire avant notre ère, la tradition chinoise veut qu'on accueille un invité avec une tasse de thé. Ce n'est qu'au XIVe siècle qu'apparaît la tasse en porcelaine fine, et qu'on laisse infuser les feuilles au lieu d'en faire une décoction.

Au Japon, l'importance du thé y est si grande qu'elle donne lieu à une célébration rituelle. « La cérémonie du thé, disent les Japonais, est une communion de sentiments entre de bons amis, qui se réunissent au bon moment, dans les meilleures conditions. »

La Russie impériale découvre le thé au XVIIe siècle – un prince Mongol remettra du thé en cadeau au tsar Michel Fédorovitch – mais ce n'est qu'à l'aube du XIXe siècle qu'il y sera largement adopté. On y apprécie le thé vert et noir, que l'on boit dans des tasses avec une anse en métal. Au lieu d'y ajouter du lait ou de le sucrer, on mange du sucre ou de la confiture en le buvant.

En France, le cardinal Mazarin soigne sa goutte en buvant du thé. Aussi faudra-t-il attendre soixante-dix ans environ avant que cette boisson séduise les bien portants. L'honneur revient aux Français d'avoir eu l'idée de verser le lait en premier dans la tasse – afin d'éviter que la porcelaine fine ne se brise au contact du liquide brûlant.

C'est au cours du XVIIIe siècle que le thé devient très en vogue partout en Grande-Bretagne. Ce succès est, en partie, lié à la multiplication des salons de thé, où l'on prend le thé dans une ambiance musicale. Pour apaiser la faim ressentie entre le déjeuner et le dîner, la duchesse de Bedford institue, vers 1830, le thé d'après-midi, où il est de bon ton pour les dames de la bonne société de venir élégamment vêtues.

et traditions

Débarrassée de son image un peu désuète, l'heure du thé est une façon très agréable de faire une pause. Glacé en été ou brûlant au cœur d'un après-midi d'hiver, le thé s'accompagne de pâtisseries, de brioches ou de biscuits savoureux. Découvrez de nombreuses recettes pour convier vos amis à partager un moment délicieux.

Scones

250 g de farine

½ sachet de levure chimique

½ cuil. à café de bicarbonate
   de soude

50 g de beurre

25 g de sucre en poudre

6 cuil. à soupe environ de lait,
   plus de quoi badigeonner
   les scones

1 Farinez légèrement une tôle de cuisson. Tamisez la farine, la levure et le bicarbonate. Incorporez-y le beurre et travaillez le tout pour obtenir une masse friable. Ajoutez le sucre et suffisamment de lait pour assouplir la pâte.

2 Pétrissez-la sur un plan de travail fariné, puis abaissez-la à 1,5 cm d'épaisseur. Avec un emporte-pièce crénelé de 5 cm de diamètre, découpez des scones. Mettez-les sur la tôle farinée et badigeonnez-les de lait.

3 Enfournez 10 min, puis déposez les scones sur une grille.

4 Servez-les tièdes, coupés en deux, avec du beurre, de la crème fraîche et de la confiture.

Pour 10 scones environ

Préparation : 10 min

Cuisson : 10 min

Four préchauffé à 220 °C (th. 7)

1 petite botte de cresson

50 g de beurre ramolli

4 tranches de pain de mie

4 tranches de pain complet

1 tronçon de concombre de 5 cm,
   en fines rondelles

brins de cresson et rondelles
   de concombre, pour servir
   (facultatif)

1 Ôtez les tiges du cresson et ciselez les feuilles. Mélangez le cresson avec le beurre pour obtenir une pommade.

2 Tartinez le pain de mie et le pain complet avec ce beurre aromatisé. Disposez le concombre sur le pain de mie. Recouvrez avec le pain complet et mettez au frais.

3 Égalisez vos sandwichs, en retirant la croûte. Coupez-les en deux. Selon le goût, garnissez-les de cresson et de concombre.

Pour 8 sandwichs

Préparation : 15 min

500 g de farine

1 cuil. à café de sel

25 g de sucre en poudre

20 g de levure de boulanger
délayée dans de l'eau tiède

4 œufs légèrement battus

150 g de beurre fondu

œuf battu, pour dorer la brioche

1 Beurrez 12 moules à brioche. Dans un saladier, tamisez la farine avec le sel et le sucre. Incorporez-y la levure, 4 œufs et le beurre. Travaillez le tout pendant 10 min.

2 Transférez la pâte dans un récipient huilé, couvrez et laissez-la 1 h 15 au chaud.

3 Sur un plan de travail fariné, pétrissez-la et divisez-la en 12 portions d'égale grosseur. Pour façonner chaque brioche, prélevez ¼ de la portion de pâte. Faites une boule avec le gros morceau et mettez-la dans le moule. Faites une seconde petite boule avec le reste de la pâte.

4 Farinez votre index et faites un trou au milieu de la pâte qui est dans le moule. Mettez-y délicatement la petite boule de pâte. Couvrez et laissez reposer 45 min environ.

5 Dorez les brioches à l'œuf. Enfournez 10 min.

Pour 12 brioches

Préparation : 25 min, plus temps de levée

Cuisson : 10 min

Four préchauffé à 230 °C (th. 7)

Cake à la banane

250 g de farine

1 cuil. à café de bicarbonate
de soude

½ sachet de levure chimique

1 pincée de sel

125 g de beurre

170 g de sucre en poudre

1 cuil. à café de jus de citron

1 cuil. à café de zeste
de citron râpé

3 cuil. à soupe de lait

2 bananes écrasées

2 œufs battus

25 g de sucre cristallisé

beurre, pour servir

1 Beurrez et chemisez un moule à cake de 25 cm de long. Dans un saladier, tamisez la farine, le bicarbonate, la levure et le sel. Incorporez-y le beurre et travaillez le tout en une masse friable. Ajoutez le sucre. Dans un grand bol, mélangez le jus et le zeste de citron, le lait, les bananes et les œufs.

2 Ajoutez le contenu du bol à la pâte. Transférez-la dans le moule et parsemez-la de sucre cristallisé. Enfournez pendant 1 h 15. Coupez le cake en tranches et beurrez-les.

Pour 1 cake de 25 cm de long

Préparation : 10 min – Cuisson : 1 h 15

Four préchauffé à 180 °C (th. 5)

Pain aux raisins secs

500 g de farine

1 cuil. à café de sel

30 g de sucre

20 g de levure de boulanger
délayée dans de l'eau tiède

30 g de beurre fondu

30 cl de lait

130 g de raisins secs, lavés

miel liquide

1 Dans un saladier, mélangez la farine, le sel, le sucre et la levure. Incorporez-y le beurre et le lait de manière à obtenir une pâte souple. Pétrissez-la 10 min sur un plan de travail fariné. Mettez-la dans une jatte huilée, couvrez de film alimentaire huilé et laissez-la lever 45 min dans un endroit chaud.

2 Transférez-la sur un plan de travail fariné et incorporez-y les raisins. Formez une galette de 20 cm de diamètre et posez-la sur une tôle de cuisson beurrée. Couvrez et laissez 40 min environ au chaud.

3 Enfournez 35 à 40 min.

4 Démoulez sur une grille et badigeonnez aussitôt de miel.

Pour 1 pain rond de 20 cm de diamètre
Préparation : 20 min, plus temps de levée
Cuisson : 35 à 40 min
Four préchauffé à 200 °C (th. 6)

400 g de farine

2 cuil. à café d'estragon séché

**1 cuil. à café de sucre en poudre
(facultatif)**

2 cuil. à café de sel

**20 g de levure de boulanger
délayée dans de l'eau tiède**

25 cl de lait

1 œuf battu

**1 cuil. à soupe de graines
de fenouil**

Pain aux herbes

1 Beurrez un moule à cake de 25 cm de long. Dans un saladier, mélangez la farine, l'estragon, le sucre (le cas échéant), le sel et la levure. À part, mélangez le lait et l'œuf, puis incorporez-les au contenu du saladier. Pétrissez 10 min.

2 Étirez la pâte à la longueur du moule et roulez-la dans les graines de fenouil. Mettez-la dans le moule. Couvrez de film alimentaire huilé et laissez-la lever 30 min dans un endroit chaud.

3 Enfournez 25 à 30 min. Démoulez le pain sur une grille pour qu'il refroidisse.

Pour 1 pain de 25 cm de long

Préparation : 20 min, plus temps de levée

Cuisson : 25 à 30 min

Four préchauffé à 200 °C (th. 6)

Cœurs à la carotte

150 g de farine

75 g de beurre, à température
   ambiante

1 jaune d'œuf

75 g de carottes râpées finement

sucre semoule ou sucre
   pour saupoudrer

1 Dans une jatte, tamisez la farine et incorporez-y le beurre en travaillant le mélange avec les doigts jusqu'à ce qu'il soit friable. Ajoutez le jaune et les carottes. Malaxez le tout pour obtenir une pâte homogène.

2 Sur un plan de travail fariné, abaissez la pâte finement et découpez-y des biscuits avec un emporte-pièce en forme de cœur ; réunissez les chutes de pâte et abaissez-les pour les utiliser.

3 Placez les cœurs sur une tôle de cuisson légèrement beurrée et enfournez-les 25 à 30 min, jusqu'à qu'ils soient dorés. Poudrez-les de sucre à la sortie du four.

Pour 8 biscuits

Cuisson : 25 à 30 min

Four préchauffé à 190 °C (th. 6)

250 g de saindoux

250 g de farine

250 g de sucre

100 g d'amandes

1 œuf

1 cuil. à café de cannelle

1 cuil. à soupe de sucre glace

1 pincée de sel

Sablés aux amandes

1 Dans une poêle anti-adhésive, faites chauffer la farine en remuant sans cesse avec une cuillère en bois pendant 5 à 10 min. Attention, elle ne doit pas foncer.

2 Faites griller les amandes, puis hachez-les au mixeur. Versez la farine sur le plan de travail. Faites un puits au centre et mettez-y le saindoux, le sucre, les amandes mixées, la cannelle, le sel et l'œuf. Pétrissez cette pâte avec les mains en mélangeant bien le tout. Confectionnez ensuite des petites boulettes de pâte de la grosseur d'une noix. Aplatissez-les.

3 Disposez les boulettes sur la plaque du four (non graissée) et laissez-les cuire entre 20 et 30 min.

4 Retirez-les du four, laissez-les refroidir sur la plaque de cuisson et saupoudrez-les de sucre glace.

5 Lorsqu'ils sont froids, enveloppez-les joliment un à un dans un papier de soie avant de les servir.

Pour environ 36 sablés

Préparation : 20 min

Cuisson : 30 min

Four préchauffé à 150 °C (th. 4)

Galettes galloises

250 g de farine

½ sachet de levure chimique

½ cuil. à café de cinq-épices

50 g de beurre

50 g de saindoux

75 g de sucre en poudre

50 g de cerises confites, hachées

1 œuf battu

2-3 cuil. à soupe de lait

beurre, pour servir

1 Dans un saladier, tamisez la farine, la levure et les épices. Incorporez-y les matières grasses pour obtenir une masse friable. Ajoutez le sucre et les cerises.

2 Incorporez-y l'œuf, puis le lait – juste ce qu'il faut pour que la pâte reste épaisse. Sur un plan de travail fariné, pétrissez-la brièvement et abaissez-la à 5 mm d'épaisseur. Avec un verre de 7 cm de diamètre, découpez des ronds.

3 Huilez une poêle à fond épais et, par petites quantités, faites-y cuire les galettes 4 min environ de chaque côté. Servez chaud avec du beurre.

Pour 10 galettes environ

Préparation : 10 min

Cuisson : 8 min par poêlée

130 g de beurre

130 g de sucre en poudre

2 œufs battus

½ cuil. à café d'extrait de vanille

130 g de farine

½ sachet de levure chimique

GLAÇAGE AU BEURRE

50 g de beurre ramolli

½ cuil. à café d'extrait de vanille

120 g de sucre glace, tamisé

1 Chemisez 16 petits moules individuels de caissettes en papier. Travaillez le beurre et le sucre jusqu'à ce que le mélange pâlisse. Peu à peu, incorporez-y les œufs et la vanille. Ajoutez-y la farine et la levure, en les tamisant.

2 Répartissez la pâte dans les moules et enfournez 15 à 20 min. Laissez refroidir sur une grille.

3 Mélangez en pommade les ingrédients du glaçage.

4 Découpez un « chapeau » en haut des gâteaux. Coupez-le en deux demi-lunes. Sur chaque gâteau, posez un flocon de glaçage et disposez les demi-lunes comme deux ailes. Soudez-les avec du glaçage.

Pour 16 pièces

Préparation : 25 min

Cuisson : 15 à 20 min

Four préchauffé à 190 °C (th. 6)

Biscuits papillons

Tartelettes aux fruits

500 g de pâte sablée

CRÈME PÂTISSIÈRE

35 cl de lait

1 gousse de vanille, fendue

5 jaunes d'œufs

50 g de sucre en poudre

30 g de farine

GARNITURE

500 g de fruits frais préparés

**2-3 cuil. à soupe de gelée
de groseilles**

1 Abaissez la pâte finement et foncez 8 moules à tartelette beurrés.

2 Masquez les fonds de tarte de papier d'aluminium froissé et enfournez-les 7 min. Ôtez le papier et faites cuire 5 min encore.

3 Chauffez le lait avec la vanille, sans le laisser bouillir. Travaillez les jaunes, le sucre et la farine. Peu à peu, incorporez-y le lait ; jetez la vanille. Dans une casserole propre, faites épaissir sur feu doux, en tournant. Couvrez de papier sulfurisé humecté et laissez refroidir.

4 Répartissez la crème dans les fonds et garnissez de fruits. Chauffez la gelée avec 1 cuil. à soupe d'eau et nappez-en les fruits.

Pour 8 tartelettes

Préparation : 25 min – Cuisson : 12 min

Four préchauffé à 200 °C (th. 6)

250 g de beurre ramolli

50 g de sucre glace, tamisé

½ cuil. à café d'extrait de vanille

250 g de farine

50 g de Maïzena

GARNITURE

2 cuil. à soupe de gelée
de framboises

sucre glace, pour poudrer

1 Chemisez 12 petits moules individuels de caissettes en papier. Travaillez le beurre, le sucre et la vanille jusqu'à ce qu'ils pâlissent. Peu à peu, incorporez-y la farine et la Maïzena, en les tamisant.

2 Mettez la préparation dans une poche à douille munie d'un embout étoilé et garnissez-en les moules de manière à obtenir un nid. Enfournez 20 à 25 min. Faites refroidir sur une grille.

3 Posez une petite cuillerée de gelée au centre de chaque nid et poudrez de sucre glace au moment de servir.

Pour 12 nids

Préparation : 20 min

Cuisson : 20 à 25 min

Four préchauffé à 180 °C (th. 5)

Gâteau au chocolat fourré

5 œufs, jaunes séparés des blancs
170 g de sucre en poudre
170 g de chocolat pâtissier fondu
2 cuil. à soupe d'eau très chaude
30 cl de crème fraîche épaisse
sucre glace, pour poudrer

1 Beurrez et chemisez 2 moules de 20 cm de diamètre. Dans une jatte, travaillez les jaunes et le sucre jusqu'à ce qu'ils pâlissent. Incorporez-y le chocolat et l'eau. Montez les blancs en neige ferme. Incorporez-les délicatement au mélange chocolaté.
2 Répartissez la pâte dans les moules, et enfournez 15 à 20 min. Laissez refroidir dans le moule, puis démoulez.
3 Fouettez la crème jusqu'à ce qu'elle tienne sur le fouet. Répartissez-la sur les deux fonds de biscuit puis superposez les 2 gâteaux. Pour servir, poudrez de sucre glace.

Pour 1 gâteau superposé de 20 cm de long
Préparation : 20 min
Cuisson : 15 à 20 min
Four préchauffé à 180 °C (th. 5)

500 g de fruits secs assortis

30 cl de thé froid

500 g de farine

1 sachet de levure chimique

1 cuil. à café de cinq-épices

250 g de beurre ramolli

170 g de cassonade

120 g d'amandes mondées, pilées

4 œufs battus

1 Dans un saladier, mettez les fruits secs avec le thé. Couvrez et laissez macérer une nuit.

2 Dans une jatte, tamisez la farine, la levure et les épices. Incorporez-y le beurre, puis la cassonade, les amandes, les fruits secs égouttés et les œufs. Beurrez et chemisez de papier sulfurisé un moule à cake de 20 cm de long.

3 Transférez la pâte dans le moule. Égalisez la surface. Avec le dos d'une cuillère, faites un creux au centre. Couvrez de papier sulfurisé. Enfournez pendant 1 h 45. Démoulez sur une grille et ôtez le papier.

4 Enveloppez le gâteau de papier sulfurisé. Attendez quelques jours avant de le servir.

Pour 1 cake de 20 cm de long

Préparation : 15 min, plus temps de macération des fruits secs

Cuisson : 1 h 45

Four préchauffé à 180 °C (th. 5)

Cake aux fruits secs

Fondants au chocolat

120 g de beurre ramolli

120 g de sucre en poudre

2 œufs battus

2 cuil. à soupe de cacao
    en poudre

2 cuil. à soupe d'eau bouillante

120 g de farine

½ sachet de levure chimique

GLAÇAGE

120 g chocolat pâtissier, concassé

50 g de beurre

1 Chemisez 20 petits moules individuels de caissettes en papier. Dans un saladier, travaillez en pommade le beurre et le sucre. Peu à peu, incorporez les œufs.

2 Diluez le cacao dans l'eau, puis incorporez la farine et la levure. Répartissez dans les caissettes et enfournez 12 à 15 min. Laissez refroidir sur une grille.

3 Au bain-marie, faites fondre le chocolat avec le beurre. Remuez, puis nappez-en les fondants.

Pour 20 fondants

Préparation : 15 min

Cuisson : 12 à 15 min

Four préchauffé à 190 °C (th. 6)

Framboisier

3 œufs, jaunes séparés des blancs

4 cuil. à soupe d'eau chaude

170 g de sucre en poudre

½ cuil. à café d'extrait de vanille

2 cuil. à café de zeste d'orange
finement râpé

170 g de farine

50 g de Maïzena

½ sachet de levure chimique

GARNITURE

1 l de glace à la vanille

250 g de framboises

sucre glace, pour poudrer

1 Beurrez un moule rond de 23 cm et chemisez-le de papier sulfurisé. Travaillez les jaunes avec l'eau, la moitié du sucre, la vanille et le zeste.

2 Au-dessus du mélange, tamisez la farine, la Maïzena et la levure, puis incorporez-les à la pâte. Montez les blancs en neige. Ajoutez délicatement le reste de sucre. Incorporez le tout à la pâte.

3 Transférez dans le moule et enfournez 25 min. Laissez 5 min dans le moule, puis mettez à refroidir sur une grille.

4 Coupez le biscuit en deux dans l'épaisseur et fourrez-le de glace et de framboises. Poudrez de sucre.

Pour 1 framboisier de 23 cm

Préparation : 20 min – Cuisson : 25 min

Four préchauffé à 200 °C (th. 6)

150 g de farine

1 cuil. à café de cannelle
en poudre

25 g de crème de riz

50 g de sucre en poudre

120 g de beurre ramolli

sucre en poudre et un peu de
cannelle, pour poudrer

1 Dans un saladier, tamisez la farine, la cannelle, la crème de riz et le sucre. Incorporez-y le beurre. Travaillez le tout pour obtenir une pâte homogène. Enveloppez-la et mettez-la au frais 15 min.

2 Sur un plan de travail fariné, abaissez la pâte et détaillez-la en formes variées à l'emporte-pièce. Sinon, sur une tôle, abaissez-la en un cercle. Découpez-le en 8 parts. Mettez au frais 30 min.

3 Enfournez 30 à 40 min, jusqu'à ce que les sablés soient dorés. Laissez-les en attente 5 min, puis mettez-les à refroidir sur une grille. Poudrez de sucre et de cannelle pour servir.

Pour 8 sablés environ

Préparation : 20 min, plus temps de réfrigération

Cuisson : 30 à 40 min

Four préchauffé à 160 °C (th. 4)

Sablés à la cannelle

Thé à l'orange

60 cl d'un thé fort (Inde)

170 g de sucre en poudre

le jus de 1 citron

30 cl de jus d'orange fraîchement
pressé

glaçons

70 g de fraises, équeutées
et émincées

½ citron, en rondelles

½ orange, en rondelles

brins de menthe, pour décorer

1 Dans un pichet, mélangez le thé et le sucre. Attendez que celui-ci soit dissous. Ajoutez les jus de citron et d'orange. Couvrez et mettez au frais.

2 Versez dans une coupe à punch. Ajoutez les glaçons et les fruits émincés. Décorez de menthe pour servir.

Pour 4 personnes

Préparation : 10 min, plus temps de réfrigération

1 cuil. à soupe de graines d'anis

**1 cuil. à café de cannelle
en poudre**

90 cl d'eau

sucre, selon votre goût

**amandes et noix pilées,
pour décorer**

1 Mettez les graines d'anis et la cannelle dans une casserole avec de l'eau. Portez à ébullition et laissez bouillir 3 min.

2 Versez dans des tasses. Sucrez, selon votre goût. Décorez d'amandes et de noix, et servez sans attendre.

Pour 4 personnes

Préparation : 10 min

Boisson à l'anis et à la cannelle

75 cl d'un thé fort (Inde), chaud

**1 bouquet de menthe, feuilles
   pilées**

12 boules de sorbet au citron

6 brins de menthe, pour décorer

1 Parfumez le thé avec les feuilles de
menthe. Laissez infuser 30 min. Passez
et laissez refroidir.

2 Pour servir, mettez 2 boules de
sorbet dans 6 grands verres à
orangeade. Versez-y le thé à la menthe
et décorez de brins de menthe.

Pour 6 personnes

Préparation : 5 min, plus temps d'infusion

Thé au sorbet citron

Thé glacé à la russe

350 g de sucre cristallisé

25 cl d'eau

1 bouquet de menthe effeuillée

25 cl de jus de citron

1 l de thé (Inde), froid

glace pilée

POUR DÉCORER

rondelles de citron

brins de menthe

1 Faites dissoudre le sucre dans l'eau, puis portez à ébullition. Laissez frémir 10 min pour obtenir un sirop. Ajoutez les feuilles de menthe et laissez infuser 2 h environ. Passez et ajoutez le jus de citron et le thé.

2 Pour servir, versez dans 10 verres. Agrémentez de glace pilée. Décorez d'une rondelle de citron et d'un brin de menthe.

Pour 10 personnes

Préparation : 15 min, plus temps d'infusion

Confiture de fraises

1 kg de fraises calibrées
900 g de sucre pour confiture
le zeste râpé et le jus de 2 citrons

1 Dans un grand saladier, alternez des couches de fraises et de sucre.
Couvrez et laissez macérer une nuit.
2 Transférez dans une bassine à confitures. Faites chauffer sur feu doux pendant 10 minutes, le temps de dissoudre le sucre. Ajoutez le zeste et le jus de citron. Remuez bien.
Faites bouillir sur feu vif.
3 Vérifiez si la confiture prend : versez-en un peu sur une assiette préalablement mise à rafraîchir. Laissez refroidir. Si la surface se ride, elle est à la bonne consistance. Hors du feu, laissez en attente 15 min. Mettez dans des bocaux ébouillantés, couvrez et étiquetez.

Pour 1,5 kg environ
Préparation : 10 min, plus temps de macération des fruits
Cuisson : 15 à 25 min

Chantilly aux pétales de rose

30 cl de crème fraîche épaisse
3 cuil. à soupe de thé aux pétales
   de rose, froid
1 cuil. à soupe de sucre glace tamisé

1 Fouettez délicatement la crème. Incorporez-y le thé à la rose et le sucre glace.
2 Utilisez cette chantilly pour fourrer des meringues, des scones ou une génoise.
Pour 30 cl de chantilly

Pain perdu épicé

2 œufs
2 ½ cuil. à café de cinq-épices
4 tranches larges et épaisses de pain
huile
50 g de sucre en poudre

Battez les œufs avec 2 cuil. à café d'épices. Trempez le pain dedans et faites-le à la poêle, dans un peu d'huile.
Égouttez bien avant de le saupoudrer de sucre, mêlé au reste d'épices. Servez chaud.
Pour 16 portions

Index

Adaptation française de Anne-Marie Thuot
Texte original de Lucy Knox et Sarah Lowman
Recette p. 38 : texte original d'Ivana Losco
Secrétariat d'édition : Anne Terral

Première édition française 1998 par la Librairie Gründ, Paris
© 1998 Librairie Gründ pour l'édition française
ISBN : 2-7000-5862-3
Dépôt légal : janvier 1998
Edition originale 1997 par Hamlyn
sous le titre original *Tea*
© 1997 Reed International Books Limited

Photocomposition : Desk
Imprimé en Italie